Les trésors de M. Monsieur

Pour Rose et Zoe, et tous les jeunes ambassadeurs de Cape Farewell qui combattent ensemble le réchauffement climatique — G.C.

Édition publiée par les Éditions Scholastic,
604, rue King Ouest, Toronto (Ontario) M5V 1E1,
avec la permission de Kids Can Press Ltd.

5 4 3 2 1 Imprimé en Chine CP130 12 13 14 15 16

Catalogage avant publication de Bibliothèque et Archives Canada

Côté, Geneviève, 1964-
[Mr. King's things. Français]
Les trésors de M. Monsieur / Geneviève Côté.

Traduction de: Mr. King's things.
ISBN 978-1-4431-2045-6

I. Titre. II. Titre : Mr King's things. Français.

PS8605.O8738M5714 2013 jC813'.6 C2012-901777-9

Les illustrations de ce livre ont été faites selon la technique mixte.
Le texte est composé avec la police de caractères Futura Book.
Conception graphique : Karen Powers

Geneviève Côté

Les trésors de M. Monsieur

M. Monsieur aime
les objets neufs.
TOUS les objets neufs.

Sitôt un objet à peine usé, il s'en débarrasse dans l'étang voisin et le remplace par un nouveau. L'étang n'est pas très grand, mais on peut y mettre des TAS de choses! Rien n'y paraît, sinon quelques ronds dans l'eau.

Quand il n'est pas en train d'acheter
de nouveaux objets ou de s'en débarrasser,
M. Monsieur va à la pêche.

Il n'attrape pas souvent de poissons, mais ça ne le dérange pas.

M. Monsieur aime flâner au soleil.

Ce matin, la ligne de M. Monsieur se tend si brusquement que son bateau manque de se renverser.

– Oh oh! Ça doit être un TRÈS GROS poisson!

Il tire de toutes ses forces...

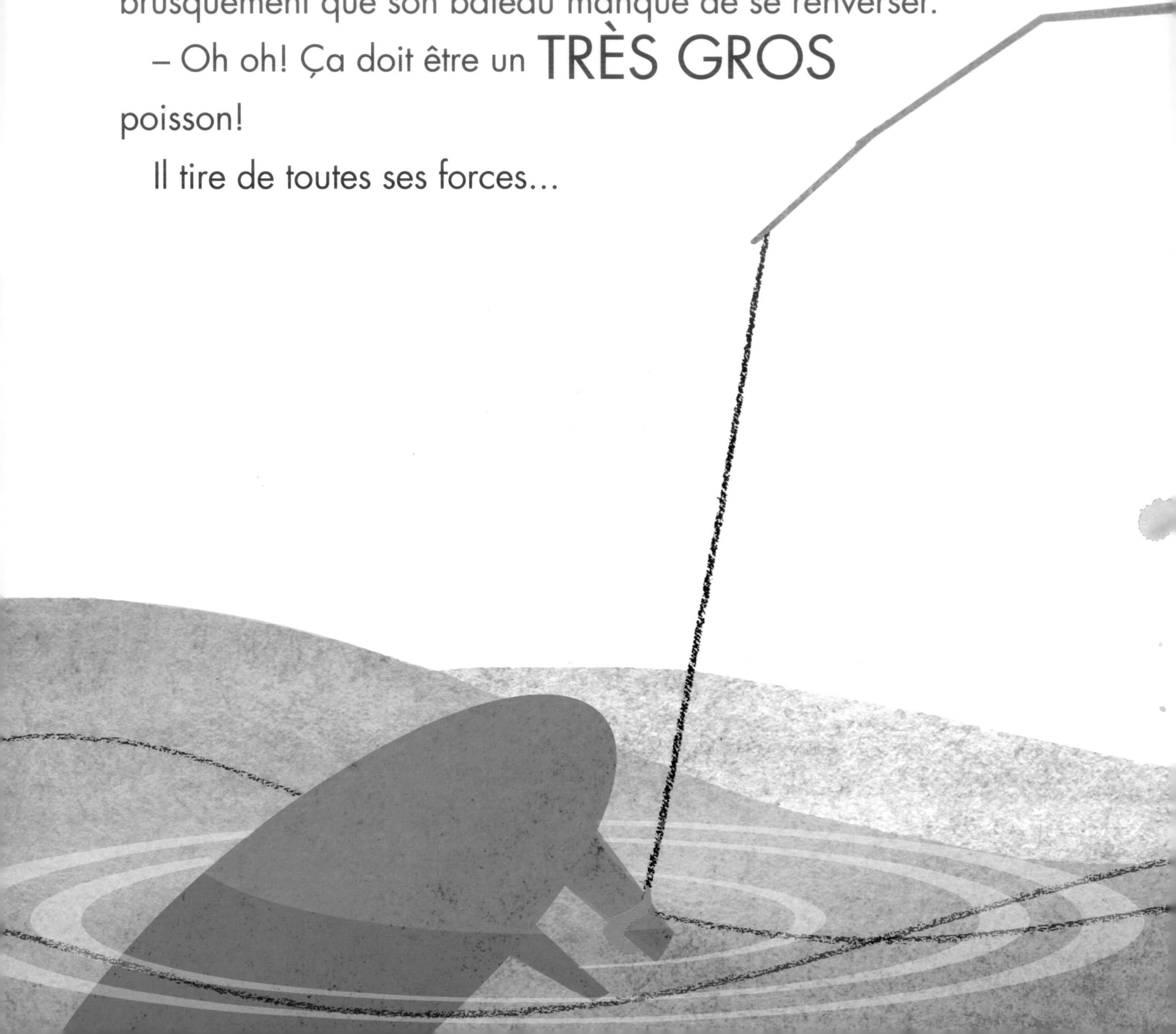

… et alors apparaît la créature la plus TERRIFIANTE que M. Monsieur ait jamais vue!

AAAAH!

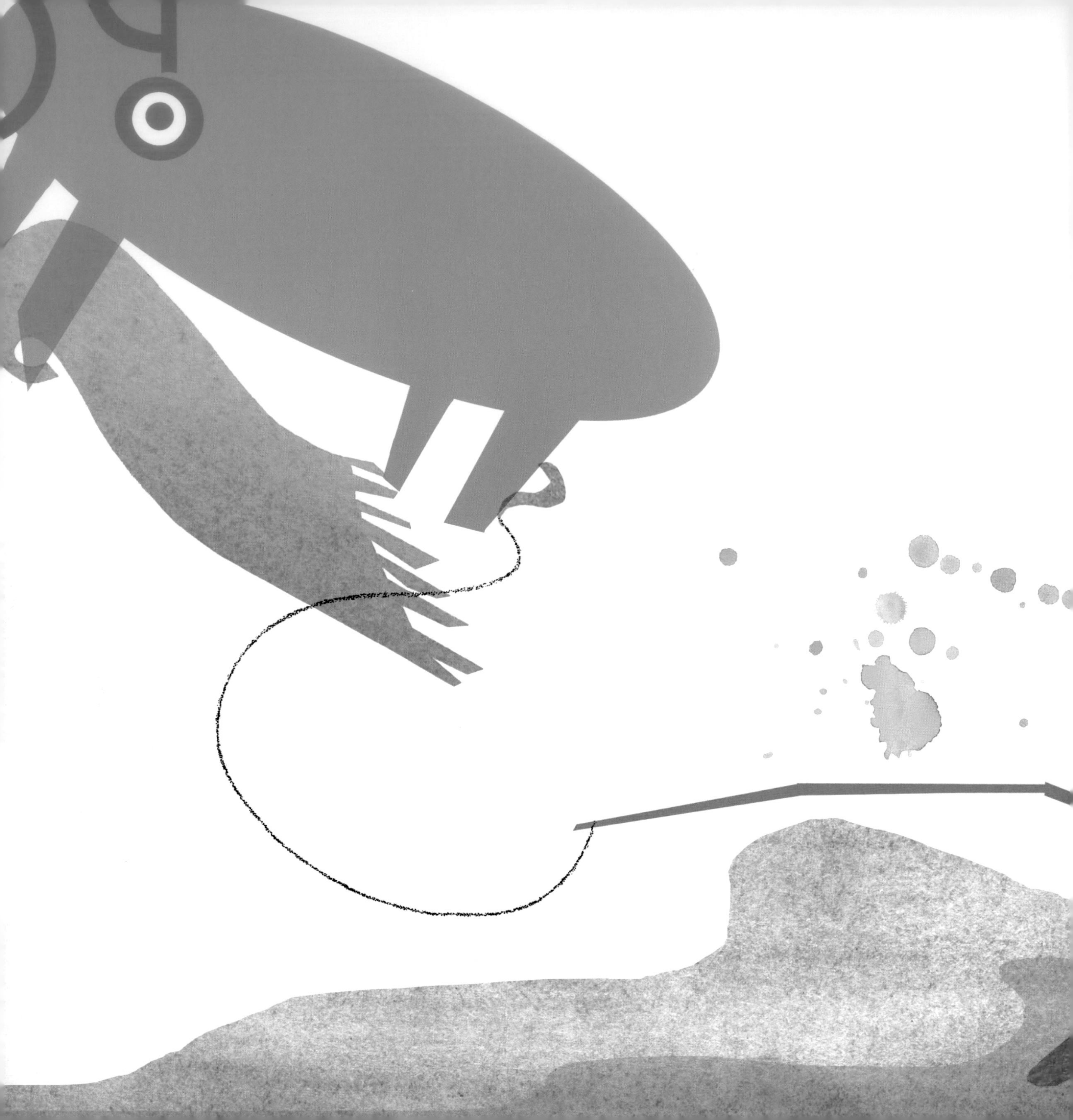

– AU SECOURS! UN MONSTRE!

M. Monsieur tente de s'enfuir en ramant à toute vitesse mais le monstre, toujours accroché à sa ligne, le suit de près.

Il le suit jusqu'à la rive!

Dès que son bateau touche terre, M. Monsieur court se mettre à l'abri et retient son souffle, les yeux fermés, les mains sur les oreilles.

Ses amis se précipitent vers l'étang.

M. Monsieur n'est nulle part en vue.

– Qu'est-ce que c'était que ce bruit?

– Est-ce que le cirque
est par ici?

– Une fanfare vient de passer?

– Il y a un match télévisé?

– Est-ce qu'on
nous a appelés?

Les amis de M. Monsieur regardent aux alentours, à la recherche d'indices, et découvrent un GROS tas d'objets empilés sur la rive.

– Un bazar! J'ADORE les bazars! s'écrie Henriette.

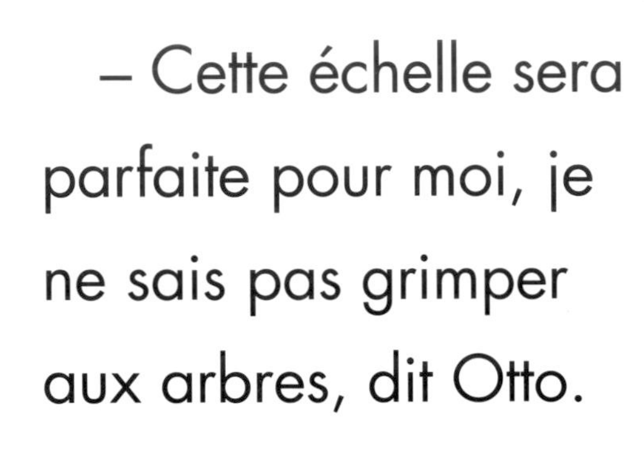

– Cette échelle sera parfaite pour moi, je ne sais pas grimper aux arbres, dit Otto.

– OOOH! la jolie maison! s'exclament Zep et Zap.

– Je pourrais réparer ce parapluie, propose le vieux Jim Panache à Henriette.

– J'aurai enfin assez de chaises pour faire asseoir toute ma famille! s'écrie Sami.

– Et moi, je prends une table pour deux, dit Renaud.

M. Monsieur, toujours caché, se demande ce que fait le monstre. Il jette un coup d'œil vers l'étang pour vérifier… et aperçoit ses amis qui se tiennent là, sans se douter de rien! OH NON!

– ATTENTION! IL Y A UN MONSTRE! NE RESTEZ PAS...

M. Monsieur s'arrête net : LE MONSTRE A DISPARU!

– Regarde ce que nous avons trouvé! s'écrie Zep. Une table, une théière et des tasses, un tuba...

– Et on a mis de côté plein de jolies choses aussi pour toi! ajoute Zap.

M. Monsieur rougit, très gêné.

Oh oh! C'est moi qui ai jeté tout ça!

se dit-il.

Il ramasse quelques objets et les examine pensivement.

– Hum... j'ai une idée! s'écrie-t-il.

Et il se met à l'ouvrage.

Tout le monde admire les inventions de M. Monsieur!

Il a fabriqué un carrousel à poissons, un cerfleur-volant, une fontaine flottante, une palette de surf et un mini-remorqueur pour deux.

Maintenant M. Monsieur aime bien mieux faire du NEUF avec du VIEUX!